Il fait glagla !

premières lectures

...pour les enfants qui apprennent à lire

Le texte à lire dans les bulles est conçu pour l'apprenti lecteur. Il respecte les apprentissages du programme de CP :

le niveau TRES FACILE correspond aux acquis de septembre à décembre,

le niveau FACILE correspond aux acquis de janvier à juin.

Cette histoire a été testée à deux voix par Francine Euli, enseignante, et des enfants de CP.

Cet ouvrage est un niveau Facile.

Loi n° 49-956 du 16 juillet 1949 sur les publications destinées à la jeunesse
ISBN : 978-2-09-252242-4
N° éditeur : 10179029 - Dépôt légal : septembre 2011
Imprimé en France par Pollina - L57139b

Il fait glagla !

Texte de Christian Lamblin
Illustré par Aurélien Débat

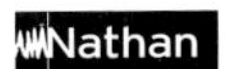

Voici Okimi.
Il habite une planète sur laquelle
il fait toujours beau.

Chaque matin, Okimi retrouve
ses amis près du lac. Ils se baignent.
Et ensuite, ils boivent du lait de girafe
en se racontant des histoires drôles.

Un soir, un grand éclair bleu déchire la nuit, et quelque chose tombe du ciel en faisant un bruit bizarre : « frôaaaaa… »
Tout le monde se précipite vers l'endroit où la chose est tombée.

Regardez là-haut, dans le ciel !

Ils découvrent un large trou au fond duquel brille une énorme pierre bleue.

– Très bien, dit le chef du village d'Okimi. Puisque cette pierre est arrivée en criant «frôaaaa...», nous l'appellerons le Grand Frôa. Maintenant, il fait nuit. Allons nous coucher.

Le lendemain matin, les habitants retournent voir le Grand Frôa. Quelle surprise ! Autour du trou, la terre est dure et glissante.

Une partie du lac est recouverte
d’une carapace presque transparente.
Le chef s’aventure sur cette surface
brillante.

Tout à coup… zioup ! il glisse
et tombe sur ses fesses.

Tout le monde éclate de rire !

– À partir de maintenant, l'eau solide s'appellera la zioup ! déclare le chef.

Tout le monde veut faire
des glissades !
Zioup ! Zioup ! Zioup !
C’est très amusant.
Moi aussi,
je veux glisser
sur la zioup !

Soudain, la zioup
se brise et Okimi
tombe dans l'eau.

Il crie, il cherche un mot pour dire comment est l'eau, mais il n'en trouve pas. Il connaît « brûlant », « chaud », « tiède »... mais aucun de ces mots ne correspond à la température de l'eau.

Lorsque Okimi sort de l'eau, il a les dents qui claquent et ses oreilles sont bleues. Il saute sur place pour se réchauffer et il crie « glagla ! glagla ! ».

– Très bien, dit le chef du village. À partir de maintenant, tout ce qui n'est pas chaud sera glagla.

Le Grand Frôa étend lentement son territoire. Au bout de quelques jours, le lac est entièrement revêtu

d'une épaisse couche de zioup,
et il commence à faire glagla
dans les maisons.

Oh, de la pluie
blanche !

Un matin, les gouttes de pluie
se transforment en minuscules fleurs
blanches qui recouvrent la prairie
d'un joli tapis blanc.
Lorsque les habitants marchent dessus,
ils entendent « cre… cre… »
– Très bien, dit le chef du village.
À partir de maintenant, cette étrange
pluie blanche s'appellera la cre-cre.

Les enfants trouvent vite de nouveaux jeux. Par exemple, la bataille de boules de cre-cre. Bien sûr, c'est un peu glagla, mais c'est très amusant !

Ils inventent aussi un sport très amusant : le waou. Pour le pratiquer, il suffit de monter en haut d'une petite colline, puis de la descendre à toute vitesse en glissant sur la cre-cre avec une planche bien attachée à chaque pied.

Le chef fait également une découverte intéressante : en mettant des morceaux de zioup dans une boisson, elle devient glagla. C'est bien meilleur !

En broyant la zioup et en la mélangeant
avec des fruits, on obtient
une préparation glagla absolument
délicieuse que le chef appelle de la slurp.
Tout le monde s'en régale !

Il ne fait plus chaud
sur ma planète !

Malheureusement, le Grand Frôa n’a pas que des avantages. À cause de lui, les gens sont obligés de mettre des manteaux, des cagoules et des chaussettes. Ce n’est pas très agréable pour aller au lac !
Si on oublie de mettre son manteau, on peut attraper une maladie qui fait renifler. Le chef appelle cette maladie le snif-snif.

Un matin, le chef se met en colère.

– Ça ne peut pas continuer comme ça ! s'écrie-t-il. Il fait trop glagla ! Notre sang va se transformer en zioup et nous allons tous attraper le snif-snif !

Les habitants décident de renvoyer le Grand Frôa vers les étoiles. Comme il est très gros, ils le cassent en deux pour le transporter plus facilement.

– Nous allons fabriquer une catapulte ! dit le chef.

Les hommes fabriquent une catapulte avec des troncs de cocotier.
Ils posent ensuite les deux morceaux du Grand Frôa sur la catapulte.
Le chef prend son sabre et il coupe la corde.

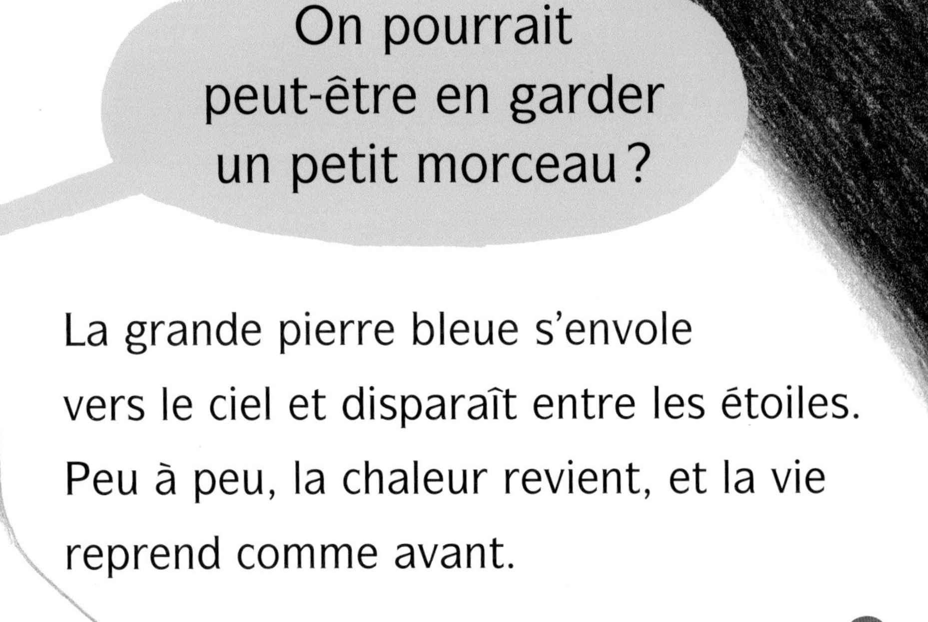

La grande pierre bleue s'envole vers le ciel et disparaît entre les étoiles. Peu à peu, la chaleur revient, et la vie reprend comme avant.

Parfois, la nuit, Okimi rêve qu'il visite le pays du Grand Frôa sur une planète qu'il ne connaît pas.

Je me demande
si le Grand Frôa est tombé
sur une autre planète...

Il ne sait pas que ce pays existe réellement et qu'il est sur la Terre, notre planète !

Mais si, toi, tu veux un jour visiter le pays du Grand Frôa, habille-toi chaudement, car là-bas, il y a beaucoup de zioup et il fait toujours glagla !

premières lectures

À la rentrée de septembre, les enfants de CP entrent doucement en lecture. Afin de les accompagner dans cette découverte et d'encourager leur plaisir de lire, Nathan Jeunesse propose la collection **Premières lectures** .

Chaque histoire est écrite avec des **bulles**, très simples, et des **textes**, plus complexes, dont les sons et les mots restent toujours adaptés aux compétences des élèves dès le CP.

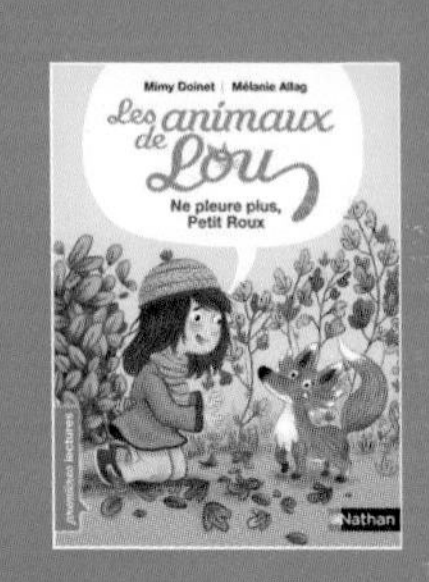

Les ouvrages de la collection sont tous **testés** par des enseignants et proposent deux niveaux de difficulté : **Très Facile** et **Facile**.

Cette collection est idéale pour la mise en place d'une **pédagogie différenciée**, mais aussi pour une **lecture à deux voix**. Elle permet en effet de mêler la voix d'un « lecteur complice », que la lecture des textes rend narrateur, à celle d'un enfant qui se glisse, en lisant les bulles, dans la peau du personnage.

Un moment privilégié à partager en classe ou en famille !

premiers **romans**

Et après
les **Premières lectures**,
découvrez vite
les **Premiers romans !**

Nathan présente les applications Iphone et Ipad tirées de la collection *premières* **lectures**.

L'utilisation de l'Iphone ou de la tablette permettra au jeune lecteur de s'approprier différemment les histoires, de manière ludique.

Grâce à l'interactivité et au son, il peut s'entraîner à lire, soit en écoutant l'histoire, soit en la lisant à son tour et à son rythme.

Avec les applications *premières* **lectures**, votre enfant aura encore plus envie de lire... des livres !

Toutes les applications *premières* **lectures** sont disponibles sur l'App Store :